Lam doet niet meer mee

Ben Kuipers
tekeningen van Ingrid Godon

maantjes

Zwijsen

Post voor Wolf

Lam holt naar Wolf.
Hij rent het huis van Wolf in.
'Post!' roept hij.

'Een brief voor jou, Wolf!'
'Een brief?' zegt Wolf.
'Van wie krijg ik een brief?'
'Lees maar,' zegt Lam.
'Dan weet je het.'
Wolf kijkt naar zijn brief.

Hij keert hem om.
En nog eens om.
'Het is een leeg vel,' zegt hij.
'Dit is geen brief.'
'Wél!' roept Lam.
'Een brief van mij aan jou.
Geef maar aan mij.
Dan lees ik voor.'
Lam leest voor.
'Dag Wolf.
Ik stuur je een brief.
Maar ik schreef hem niet.
Want dat kan ik dus niet.
Ik geef hem zelf aan jou.
Ik lees hem voor.
Dan ken jij die brief.
Groet, groet, groet.
En nog een groet.
Van Lam.'
'Wat fijn, die brief,' zegt Wolf.
'Die hoor ik graag heel vaak.'
'Roep me dan maar,' zegt Lam.
'Dan lees ik weer voor.
Fijn is dat.'

Taart voor de zon

'Wat naar,' zegt Lam.
'Wat is naar?' zegt Wolf.
'Wat erg,' zegt Lam.
'Wat is erg?' zegt Wolf.
'Wat rot,' zegt Lam.
'Wat is rot?' zegt Wolf.
'Het weer,' zegt Lam.
'Dat is naar en erg en rot.
Het is nat.'

'Dat is waar,' zegt Wolf.
'Er valt af en toe een bui.'
'Niet af en toe!' roept Lam.
'Vaak.
Heel vaak.
Veel te vaak.
En het is grijs.'
'Dat is waar,' zegt Wolf.
'De lucht is een en al wolk.'
'En het is koud,' zegt Lam.
'Valt wel mee,' zegt Wolf.
'Het is fris.'
'Koud!' roept Lam.
'Koud, koud, koud, koud.
Veel te koud.
Want het moet warm zijn.
Dat wil ik.
Maar dat is het niet.
Dus is het koud.
Níet fris.'
'Het weer máák je niet.
Het weer ís er,' zegt Wolf.
'Daar doe je niks aan, Lam.'
'Wel!' roept Lam.

'Ik doe er wél wat aan.
Ik doe niet meer mee!
Ik duik mijn bed in.'
En dat doet hij.
'Doe dat nou niet, Lam,' zegt Wolf.
'Ik doe het wel!' tiert Lam.
'Ik ben het beu!
Kijk maar uit het raam, Wolf.
Er valt weer een bui.
En kijk eens naar die beuk, Wolf.
Wat gaat die heen en weer.
Fijn, dat ik in bed lig.
Ik kom er niet meer uit.
Pas als het warm is.
Pas als het heel warm is.
Pas als ik mijn bed uit zweet.'
'Toe nou, Lam,' zegt Wolf.
'Kom mee naar míjn huis.'
'Ben je gek, Wolf?
Dan moet ik mijn bed uit.
Dan moet ik mijn huis uit.
Dan moet ik door dat weer.
Nee, nee, nee!'
Lam keert zich om in bed.

11

Hij ligt met zijn rug naar Wolf.
Wolf praat met die rug.
'In mijn huis bak ik een taart.
Taart voor jou en de zon.
Want eens komt de zon, Lam.
Ik maak taart met veel fruit.'
'Kun je niet,' zegt Lam.
'Fruit heb jij niet eens.
Er is nog geen bes rood.'
'Heb ik wel,' zegt Wolf.
'In een pot.
Ik heb een pot vol fruit.
Peer, kers, pruim, bes.'
'Voor taart doe ik veel.'
Lam komt zijn bed uit.
'Voor taart doe ik weer mee.'

Lam loopt naast Wolf.
Het is kil en grijs en nat.
Daar zegt Lam niets van.
Hij zegt: 'Taart is fijn.
Taart met fruit is héél fijn.
Net of er al zon is.'
Hij doet een dans.

In de zon

'Wat lig ik fijn,' zegt Lam.
'In het gras, in de zon.
En naast jou.
Lig jij ook fijn, Wolf?'
'Nou en of,' zegt Wolf.
'Snap ik,' zegt Lam.
'Jij ligt ook in de zon.
Ook in het gras.
Naast míj.'
Ze zijn een tijd stil.

'Wat was het koud,' zegt Lam.
'Weet je nog wel, Wolf?'
'Maar nou is het warm,' zegt Wolf.
'Het is haast heet.'
'En wat was het nat,' zegt Lam.
'Weet je nog wel, Wolf?'
'Nou is het droog,' zegt Wolf.
'Geen wolk te zien.
Er komt geen bui.
Wees maar niet bang, Lam.'
'Ben ik ook niet,' zegt Lam.
'Het is droog.
Fijn is dat!
Dat weet ik heel erg goed.
Want wat was het nat.
En het is warm.
Fijn is dat!
Dat weet ik heel erg goed.
Want wat was het koud.'
'Nou snap ik je,' zegt Wolf.
'Het wás heel nat, Lam.
En het wás heel koud.'
Ze zijn stil.
Stil van de zon en het gras.

De reis van de slak

Daar loopt Wolf.
Lam kijkt naar hem.
Wolf loopt raar.
Hij staat haast stil.
Wat is er met Wolf?
Lam rent naar hem toe.
'Dag Lam!' roept Wolf.
'Wat doe je gek,' zegt Lam.
'Gek?' zegt Wolf.

'Je loopt raar,' zegt Lam.
'Net of je een slak bent.'
'Ben ik niet,' zegt Wolf.
'Maar ik loop met hem mee.
Al een tijd.'
Wolf wijst.
Lam kijkt naar het pad.
Daar gaat een slak.
'Hij is op reis,' zegt Wolf.
'Dat zegt hij.
En zijn reis is ver, heel ver.
Ik weet niet waar heen.
Dat zegt hij niet.'
'Nee.'
De slak staat stil.
'Ik praat niet graag.
Niet als ik kruip.
Dat gaat niet goed.'
'Een reis is ver voor een slak.
Waar hij ook heen gaat,' zegt Lam.
'Dat is waar,' zegt de slak.
'Een reis is voor mij ver.
Jij weet dat.'

'Ik weet veel,' zegt Lam blij.
'Weet je wat?
Ik draag jou.
Dan is je reis niet ver.'
'Graag,' zegt de slak.
Lam zet hem op zijn arm.
'Zeg het maar,' zegt hij.
'Waar gaan we heen?'
'Weet ik niet,' zegt de slak.
'Weet je dat niet?' roept Lam.
'Wat stom, zeg!'
'Hij was nog niet klaar,' zegt Wolf.

'Hij loopt niet snel.
En hij praat niet snel.
Zijn zin was nog niet af.'
'Dat is waar,' zegt de slak.
'Ik weet het niet;
én ik weet het wel.
Wél, waar ik heen wil.
Níet, waar het ligt.'
'Waar wil je dan heen?' zegt Lam.
'Naar mijn droom,' zegt de slak.
'In mijn droom was ik op een plek.
Wat was het daar fijn.

Wat was het daar goed.
Wat was het daar groen.
En dat groen was vol sap.
Dáár wil ik naar toe.
Daar wil ik weer zijn.'
'Die plek is er niet,' zegt Lam.
'Het was maar een droom.'
'Wel,' zegt Wolf.
'Die plek is er.
En jij kent die plek goed.
Kom maar mee, Lam.'
Dat doet Lam, met de slak.

'Waar gaan we heen, Wolf?
Gaan we naar mijn huis?'
'Haast goed,' zegt Wolf.
'Naar je tuin.
Jij doet niets aan die tuin.
Want jij bent lui, Lam.'

Ze zijn in de tuin.
'Dit is het,' zegt de slak.
'Ik ben in mijn droom.'
Lam zet hem neer.
'Fijn, dat ik lui ben,' zegt hij.
'Het is fijn voor de slak.
En fijn voor mij.'

Een bui die leuk is

Wolf spit in zijn tuin.
Lam kijkt toe.
'Wat kun je dat goed, Wolf.'
Dan valt er een drup.
Die valt op de kop van Wolf.
Nog een drup valt.
Op het lijf van Lam.

'Nee!' gilt Lam.
'Ik heb geen zin in een bui.'
En dan valt er veel meer.
'Ik schuil,' zegt Wolf.
'Kom mee, Lam.'
Ze gaan zijn huis in.
'Kijk eens, Lam!'
Wolf roept het uit.
'Vóór het huis is het droog!
Wat een zon is daar!'
Wolf rent zijn huis uit.
Lam holt mee.

Ze staan in de zon.
'Warm is die zon,' zegt Lam.
'Kom mee naar de bui!' roept Wolf.
Ze staan in de bui.
'Weer naar de zon,' gilt Lam.
'Ik ben droog,' roept Wolf in de zon.
'Vlug naar de bui!' roept Lam.
Heen en weer gaan ze.
Van nat naar warm.
Van de bui naar de zon.
Van warm naar nat.
Van de zon naar de bui.
En weer en weer en weer.
Dan is het droog.
'Wat leuk was die bui.
Viel hij nog maar,' zegt Lam.

Serie 8 • bij kern 8 van Veilig leren lezen

Joes wil een poes
Vivian den Hollander en Juliette de Wit

Een beer op school
Truus van de Waarsenburg en Camila Fialkowski

Komt Tes op tijd?
Annemarie Bon en Tineke Meirink

De dag dat Zil kwam
Rindert Kromhout en Jan Jutte

Lam doet niet meer mee
Ben Kuipers en Ingrid Godon

Taart!
Jaap de Vries

Ik kan niks
Erik van Os & Elle van Lieshout en Mark Janssen

Wat proef je, Kaat?
Dirk Nielandt en An Candaele

NEDERLANDSE
KINDERJURY
2005

ISBN 90.276.7814.6
NUR 287

Vormgeving: Rob Galema

1e druk 2004

© 2004 Tekst: Ben Kuipers
Illustraties: Ingrid Godon
Uitgeverij Zwijsen B.V. Tilburg

Voor België:
Zwijsen-Infoboek, Meerhout
D/2004/1919/549